⁵ le club des chatons

♥ Chaussette ♥

Titre original : *Truffle's Secret Hideway*
Text copyright © Sue Mongredien, 2011
Illustrations copyright © Artful Doodlers, 2011
Photographie couverture © Shutterstock, 2011
Publié par arrangement spécial avec Stripes Publishing Ltd
(Londres-Royaume-Uni), 2011
© Éditions Nathan (Paris-France), 2011
Loi n° 49-956 du 16 juillet 1949 sur les publications destinées à la jeunesse
ISBN : 978-2-09-253349-9

le club des chatons

5

❤ Chaussette ❤

Sue Mongredien

Traduit de l'anglais par Anne Delcourt

Fais connaissance avec les filles du club!

Chloé
& Caramel

Mina
& Roméo

Violette
& Chaussette

Lou
& Plume

Jade
& Gribouille

Lili
& Filou

Chapitre 1

– Arrête, Alfred ! Ça suffit !

Violette Miller éloigna le chien de l'écuelle du chat en le tirant par le collier. Alfred leva vers elle un regard penaud.

– Tu sais très bien que ce n'est pas ton écuelle, gronda Violette. La pauvre Chaussette, tu n'as pas honte de lui voler ses croquettes ?

La queue entre les pattes, Alfred poussa un gémissement qui ressemblait à une excuse. Puis, il fila se poster devant la porte du jardin. Violette lui ouvrit avec un soupir. Elle n'avait jamais vu un chien aussi goinfre. Quand la famille était à table, il regardait fixement les enfants pendant tout le repas, sans bouger, dans l'espoir qu'ils lui jettent un morceau. Et voilà qu'il s'attaquait aux croquettes de Chaussette. Le chaton n'avait pas beaucoup mangé au petit déjeuner et Alfred s'était empressé de tout finir.

Chaussette était une adorable petite chatte au joli pelage tigré, avec la poitrine et le bout des pattes blancs. On aurait dit qu'elle avait des chaussettes, ce qui expliquait son nom ! À son arrivée, elle était si petite qu'elle tenait dans la main de Violette. Maintenant, elle avait déjà quatre mois et ressemblait de moins en moins à un chaton, et de plus en plus à un chat.

Mais où était-elle, au fait ? C'était samedi, et Lili, l'amie de Violette, devait bientôt passer la prendre pour aller à la réunion du club des chatons. Mais Violette voulait d'abord s'assurer que tout allait bien pour Chaussette. La dernière fois qu'elle l'avait vue, c'était juste avant le déjeuner. Le chaton dormait dans l'un des parterres de fleurs du jardin, profitant des derniers rayons de soleil de novembre.

Violette entendit justement une grande exclamation dehors, suivie de cris de triomphe :

– BUUUT !! Et égalité ! Félix Miller est au sommet de sa forme !

Elle regarda par la fenêtre. Deux de ses frères, Paul et Félix, jouaient au foot sur la pelouse. Le chien gambadait joyeusement autour d'eux en remuant la queue. Il semblait avoir totalement oublié qu'il venait de se faire gronder.

Chaussette n'était plus dans les fleurs, ce qui n'avait rien d'étonnant. Les frères de Violette lui faisaient un peu peur et elle filait se réfugier au calme dès qu'elle les voyait arriver. Elle avait dû trouver un coin tranquille dans la maison pour faire la sieste, et...

Violette s'arrêta net. Oh non ! Chaussette n'était pas du tout à l'intérieur. Elle était montée dans un arbre et s'agrippait à une branche de toutes ses petites griffes, terrorisée, tous les poils hérissés. Dès que les garçons criaient ou qu'Alfred aboyait, elle se recroquevillait un peu plus sur sa branche.

Violette allait se précipiter à son secours

quand la sonnerie du téléphone retentit, suivie
de celle de la porte d'entrée.

– Je réponds au téléphone ! lança sa mère
depuis l'étage. Quelqu'un peut aller ouvrir ?

Violette hésita. Son chaton avait besoin
d'elle. Mais son grand frère Marc avait mis la
musique à fond dans sa chambre, et il n'avait
sûrement rien entendu. Paul et Félix étaient
dans le jardin et son père bricolait dans le
garage.

– Patience, Chaussette, j'arrive tout de suite ! murmura-t-elle en se dirigeant vers la porte d'entrée.

C'était Lili. Violette vit la mère de son amie garée de l'autre côté de la rue, avec la petite Clara dans son siège auto.

– Salut, lui dit Lili avec un grand sourire. Tu es prête ?

– Presque ! Je dois juste aider Chaussette à descendre d'un arbre. J'en ai pour deux minutes, d'accord ?

– La pauvre Chaussette ! Je vais prévenir ma mère et je te rejoins.

Violette mit ses baskets et fila dans le jardin, esquivant le ballon au passage.

– Faites un peu attention ! cria-t-elle aux garçons en se hâtant vers l'arbre.

Mais Chaussette n'y était plus.

– Mince ! fit Violette. Paul, Félix, vous avez vu par où est partie Chaussette ?

Paul, son grand frère de douze ans, évita son regard d'un air embarrassé.

– Ben... en fait, heu...

– On ne l'a pas fait exprès ! laissa échapper Félix.

Il avait dix ans, les cheveux châtains et les yeux bruns comme sa sœur.

– De quoi tu parles ? lui demanda Violette, les poings sur les hanches. Qu'est-ce qui s'est passé ?

– Heu, on jouait au foot quand le ballon a un peu...

Paul gratta une touffe d'herbe du bout du pied.

– ... un peu percuté le tronc d'arbre,

acheva-t-il après une pause.

– Quoi ? Et Chaussette est tombée ? demanda Violette, horrifiée, en imaginant son pauvre chaton en train de plonger dans le vide.

– Mais non, elle a eu peur et elle s'est sauvée chez les voisins, répondit Félix. On ne l'a pas fait exprès, je te dis !

À cet instant, Lili les rejoignit.

– Alors, tu l'as récupérée ? demanda-t-elle.

Violette fit non de la tête.

– Ces deux sauvages l'ont effrayée, expliqua-t-elle en serrant les poings, furieuse.

Elle s'inquiétait pour son chaton, mais la mère de Lili les attendait.

– Tant pis, allons-y, grommela-t-elle en rentrant dans la maison. Maman ! Je vais chez Chloé ! À tout à l'heure !

Elle prit son manteau dans l'entrée et sortit avec Lili. Elle eut un frisson en songeant au choc du ballon contre le tronc d'arbre, et à la réaction de la pauvre Chaussette. Pourvu qu'elle ne se soit pas fait mal en sautant d'aussi haut !

– Bonjour, Violette, lui dit la mère de Lili tandis que les filles montaient en voiture. Prêtes pour le club des chatons, toutes les deux ?

– Ouais !! répondit Lili en attachant sa ceinture. C'est parti !

Chapitre 2

C'était au tour de Chloé d'accueillir la réunion du club des chatons, qui comprenait six filles. Elles s'étaient rencontrées pendant l'été en choisissant leur chaton à la ferme des Marronniers. Lili avait eu l'idée géniale de former un club, pour qu'elles puissent se revoir et parler de leurs chatons chéris. Sa proposition avait été reçue avec enthousiasme. Depuis, elles se retrouvaient tous les samedis.

En arrivant chez Chloé, Lili et Violette trouvèrent le reste du groupe déjà installé dans la cuisine.

– Salut, les copines ! dit Violette. Oh, coucou, Caramel ! Je ne t'avais pas vu. J'ai failli m'asseoir sur toi.

En tirant une chaise, elle venait de découvrir le chaton tout roux de Chloé qui faisait la sieste. Il entrouvrit un œil et ronronna lorsqu'elle le caressa.

– Salut, Chamallow et Catwoman, dit Chloé, en appelant Violette et Lili par leurs noms de code. Caramel vous a tenu une place au chaud. Prends-le sur tes genoux, Violette, ça ne le dérangera pas.

Violette souleva délicatement la petite boule de poils, s'assit et la posa sur

ses genoux. Le chaton se pelotonna en ronronnant de plus belle. En le voyant enfouir la
tête au creux de son coude, Violette repensa à
Chaussette. Où était-elle allée se cacher ?

– Salut, les filles, leur lança Mina en souriant. On fait l'appel, maintenant que tout le
monde est là ?

Elle sortit de son sac l'album du club des
chatons et l'ouvrit à une nouvelle page.

– On est prêtes, lui dit Jade.

Fidèle à son habitude, celle-ci était vêtue
de rose de la tête aux pieds. Elle était dans
la même classe que Violette et les deux filles
étaient inséparables.

– Je commence. Chat perché ? demanda
Mina.

– Miaaou, roucoula Lou la blonde, avec un
petit roulement de gorge qui fit rire toutes les
autres.

– Émeraude ?

– Miaou, dit Chloé, qui avait de beaux yeux
de chat verts.

– Patte de velours ?

– Miaou, répondit Jade.

– Chamallow ?

– Miiiaou, fit Violette en gloussant.

– Bastet ? Miaou, je suis là, dit Mina en co-
chant son propre nom. Et enfin... Catwoman.

– Miaoui, répondit Lili, provoquant de nou-
veaux rires.

Cette Lili, il fallait toujours qu'elle fasse le
clown !

Les filles échangèrent les dernières nouvelles
de leurs chatons en sirotant de la limonade et

en croquant des tartelettes maison. Lou raconta fièrement que Plume, son chaton, s'entendait de mieux en mieux avec Ficelle, la chatte de la famille. Celle-ci avait pris l'habitude de se débarrasser de Plume la chipie en lui lançant des coups de patte. Mais dix jours plus tôt, quand le gros matou du voisin était venu embêter Plume, Ficelle avait aussitôt volé à son secours. Et Lou avait espéré qu'elles allaient enfin faire la paix.

– Depuis, ça a l'air de bien se passer, conclut Lou. Ficelle a donné un coup de patte à Plume l'autre jour quand elle lui a sauté sur la queue, mais il n'y a pas eu d'autre problème. Ouf !

– Maintenant, c'est Filou qui a des ennuis, intervint Lili avec une grimace. À mon avis, il pensait qu'il serait toujours tranquille avec ma petite sœur Clara, parce qu'elle ne faisait que pleurer et dormir. Mais maintenant qu'elle a commencé à ramper...

– Hou là, fit Mina, qui avait aussi une petite sœur. Ça ne doit pas être marrant pour lui.

– Pas trop, non, confirma Lili. Le grand jeu de Clara, c'est de le suivre partout dans la maison pour lui tirer la queue. Ou pire, elle va le voir quand il dort pour lui faire des bisous et des câlins.

Toutes les filles rirent devant l'expression horrifiée de Lili.

– Le pauvre Filou ! s'exclama Jade. Avant, mon petit frère Noa prenait Gribouille pour une peluche. Alors ma mère lui a acheté un chat en peluche. Et chaque fois qu'il se mettait à embêter Gribouille, elle lui donnait la peluche en disant : « Non, Noa. Ton chat à toi, c'est celui-là. » Tu pourrais peut-être faire pareil pour Clara ?

– Super idée, dit Lili. Si ça peut permettre à Filou d'avoir la paix ! En plus, Clara avance à toute vitesse en rampant. Hier, Filou est monté aux rideaux pour lui échapper. Maman n'était pas contente...

– Roméo aussi aime bien escalader les rideaux, de temps en temps, ajouta Mina en riant. Et ma mère n'aime pas ça non plus ! Surtout l'autre jour, quand il a sauté de la tringle sur ses épaules. J'ai cru qu'il y avait le feu tellement elle a crié fort !

– Ça me rappelle la fois où Caramel est resté coincé dans le cerisier, intervint Chloé.

Par la fenêtre, elle jeta un coup d'œil dans le jardin, où le vent faisait grincer les branches nues de l'arbre.

– Cet idiot est monté tout en haut, reprit-elle, et là, il a paniqué. Papa a dû aller chercher l'échelle.

– C'est vrai, ça, Caramel ? dit Jade au chaton en tendant la main pour lui gratter le cou. Tu as eu peur dans ce méchant vieil arbre ?

Caramel lui répondit en

ronronnant. Violette repensa à Chaussette et à la façon dont les garçons l'avaient fait fuir. Au moins, Caramel n'avait pas ce problème. Ça ne devait pas être facile d'être un bébé chat et de devoir partager une maison avec quatre enfants, sans parler d'un chien, de deux cochons d'Inde et d'un hamster.

– Ça va, Violette ? lui demanda Chloé en l'entendant soupirer.

Violette essaya de sourire, mais n'y réussit pas tout à fait.

– Oui. Enfin, non, rectifia-t-elle. Pas vraiment. Je m'inquiète pour Chaussette. Je crois qu'elle n'est pas très heureuse chez nous.

– Pourquoi ? Qu'est-ce qui se passe ? demanda Mina, étonnée.

– Ce qu'elle aime, c'est dormir, expliqua Violette. Elle adore se trouver des petits coins au chaud pour faire la sieste. Mais à la maison, mes frères mettent la musique à fond, ou ils hurlent en jouant au foot... Il y a toujours quelqu'un qui vient la déranger ou l'effrayer et qui l'oblige à changer d'endroit. Du coup, je n'ai pas l'impression qu'elle se sente chez elle.

Violette se mordit la lèvre avant de reprendre :

– C'est simple, depuis qu'elle peut sortir, je la vois de moins en moins. Quelquefois, elle disparaît pendant des heures.

– Ça veut peut-être seulement dire qu'elle aime bien explorer, intervint Lou. Il y a des chats qui sont super indépendants, tu sais.

– C'est vrai, acquiesça Mina, Roméo s'en va souvent pendant des heures. Je parie que Chaussette aime bien partir à l'aventure, c'est tout.

Violette secoua la tête. Roméo était un intrépide. Mais Chaussette, elle, préférait nettement le confort et les câlins.

– Ça m'étonnerait, répondit-elle. S'il ne tenait qu'à elle, elle passerait ses journées à dormir sur mon lit. Quand elle disparaît, ce n'est pas pour explorer, c'est parce qu'elle ne veut pas rester dans cette maison de fous.

Maintenant que Violette était lancée, elle déballait tout ce qu'elle avait sur le cœur.

– J'ai peur que ça ne lui plaise pas de vivre dans tout ce bruit. Je suis sûre qu'elle aurait préféré être choisie par une de vous cinq et vivre au calme, dans une maison normale !

Chapitre 3

Le discours de Violette fut accueilli par un silence consterné. Puis Jade passa un bras autour de ses épaules.

– Tu dis n'importe quoi ! s'exclama-t-elle fermement. Tu t'es toujours super bien occupée d'elle. Je suis certaine qu'elle t'adore !

Violette renifla. Elle n'était pas du genre à

fondre en larmes pour des bêtises, mais là, elle avait une grosse boule dans la gorge.

– Et en plus, Chaussette ne mange presque rien en ce moment, reprit-elle. Hier, j'ai cherché sur un site Internet que papa m'a trouvé et ils disent que quand un chaton perd l'appétit, c'est qu'il est malade... ou qu'il est vraiment très malheureux !

– C'est peut-être parce qu'Alfred laisse son odeur sur son écuelle, suggéra Lili. Tu as dit qu'il lui piquait ses croquettes. C'est peut-être ça qui la dégoûte.

– Tu ne pourrais pas empêcher Alfred d'entrer dans la cuisine quand tu nourris Chaussette ? demanda Mina. Elle serait plus tranquille pour manger.

– Et tu pourrais enfermer Alfred quand elle a envie de sortir, ajouta Lou. Chez nous, depuis qu'on s'arrange pour séparer davantage Plume et Ficelle, ça se passe bien mieux.

– Vous avez raison, approuva Violette en souriant, les yeux embués de larmes. Je vais suivre vos conseils. Merci, les filles. Qu'est-ce que je ferais sans vous ?

– Oh, tu aurais une vie horrible, plaisanta Lili en lui pressant la main.

Violette rit, et se sentit mieux. Heureusement que ses amies du club étaient là !

Chloé posa sur la table des feuilles et des feutres.

– J'ai réfléchi à une activité pour aujourd'hui. Si on créait un magazine sur les chatons ? On pourrait écrire des reportages et une page de jeux, et ajouter des photos...

– Avec des horoscopes pour les chats ! proposa Jade en riant.

– Et aussi des dessins et des bandes dessinées ! ajouta Mina, toute excitée.

– Et des infos sur les chats et comment prendre soin d'eux, suggéra Lou.

– Des blagues de chats ! lança Lili.

– Et je demande une page de témoignages, où les maîtres qui ont des problèmes peuvent poser des questions, réclama Violette avec un petit rire. Spécialement pour moi !

– Elle est géniale, ton idée, Chloé, lui dit Jade. On n'a qu'à commencer tout de suite !

Chloé était ravie.

– Ma mère peut faire des photocopies à son travail quand on aura fini, ajouta-t-elle. Comme ça, on aura chacune notre exemplaire. Et on pourra aussi en garder un dans l'album.

– Il nous faut un titre ! signala Mina. Par exemple… je ne sais pas… *Le Journal du club des chatons* ?

– Qu'est-ce que vous pensez de *La Moustache du chat* ? proposa Lily. Ou juste *Moustache* !

Tout le monde approuva.

– Mina, toi qui dessines super bien, tu veux bien faire la première page ? demanda Lou.

Mina, ravie, acquiesça en hochant la tête.

– Super. Et pour le reste ?

– Je peux me charger des reportages, suggéra Jade.

Elle adorait faire des rédactions, et elle avait vraiment une jolie écriture.

– Moi, je suis d'accord pour parler des soins à donner aux chatons, intervint Chloé. Je pourrais même expliquer qu'il ne faut pas trop les nourrir !

Violette lui adressa un sourire. Au début, Chloé voulait tellement faire plaisir à Caramel qu'elle lui avait trop donné à manger et qu'il s'était mis à grossir.

– Je vais inventer des mots croisés, décida Violette en prenant un stylo. Et une grille de mots mêlés, avec plein de vocabulaire sur les chats... et les noms de tous nos chatons !

Chacune se mit au travail. Lou commença une bande dessinée et Lili chercha des blagues, qu'elle tenait absolument à tester sur les autres.

– Qu'est-ce que je fais si j'ai un chat dans

la gorge ? demanda-t-elle d'un air malicieux.

– Je donne ma langue au chat ! lancèrent en chœur Mina et Violette.

– Je prends du sirop pour matou ! répondit Lili triomphalement.

Violette réfléchissait à ses mots croisés en mordillant le bout de son crayon. Soudain, elle sourit. *L'endroit où on a trouvé nos chatons*, écrivit-elle. Puis elle compta sur ses doigts. M-A-R-R-O-N-N-I-E-R-S, épela-t-elle. Et d'un !

Dehors, un vilain crachin s'était mis à tomber. Violette se réjouit d'être bien au chaud à l'intérieur, à travailler sur le magazine *Moustache* avec les filles du club. Ça lui avait fait du bien de leur parler de ses soucis. Elles lui avaient donné de bonnes idées, et elle comptait bien les essayer. Avec un peu de chance, Chaussette se sentirait bientôt le chaton le plus aimé et le plus chouchouté du village !

Chapitre 4

Les filles étaient tellement absorbées par la préparation de leur magazine que l'après-midi passa à toute allure. D'un seul coup, les parents commencèrent à arriver. C'était l'heure de rentrer.

– On n'a qu'à continuer notre travail chacune de notre côté et l'apporter à la prochaine réunion, suggéra Lili.

La mère de Violette, qui venait d'arriver, l'entendit.

– Vous voulez qu'on l'organise à la maison ? proposa-t-elle en ébouriffant les cheveux de sa fille. Je m'arrangerai pour que les garçons vous laissent tranquilles.

– Ce serait chouette, répondit Lou.

Elle avait un frère jumeau, Alex, qui était presque aussi pénible que les frères de Violette.

Violette, ainsi que Lili et Jade qui rentraient en voiture avec elle, partirent les premières.

– Maman, tu as vu Chaussette cet après-midi ? demanda Violette à sa mère, une fois dans la voiture.

– Chaussette ? Oui, elle était dans ta chambre tout à l'heure. Elle dormait sur ton pouf.

Elle se tourna vers sa fille avec un sourire malicieux.

– J'allais passer l'aspirateur, mais je n'ai pas voulu la déranger. Une bonne excuse, non ?

– Ouf, fit Violette, soulagée.

Elles déposèrent Jade chez elle sur le chemin.

Quant à Lili, elle habitait dans la même rue que Violette et elles étaient toujours fourrées l'une chez l'autre.

– Je peux passer voir Chaussette ? demanda Lili quand elles furent arrivées.

– Bien sûr, dit Mme Miller. Tu peux même rester dîner, si tu veux. Je préviens ta mère.

Les filles trouvèrent Chaussette dans la chambre de Violette, toujours endormie sur le pouf.

– Salut, minouche, lui dit doucement Violette.

Le chaton lui répondit par un petit miaulement endormi et se mit à ronronner sous ses caresses.

– Eh bien, ce chat ne m'a pas l'air particulièrement malheureux, dit Lili en s'accroupissant à côté du pouf. Regarde-la ! Je voudrais bien être à sa place !

Violette sourit. Son amie avait raison.

– Et puis, elle a l'air d'être en forme, ajouta Lili. Tu disais qu'elle ne mangeait pas beaucoup, mais je n'ai pas du tout l'impression qu'elle ait maigri.

Soudain, Violette s'exclama :

– Oh, Chaussette, tu as *encore* perdu ton collier !

Elle se tourna vers Lili pour lui expliquer :

– Il doit être trop grand, parce qu'elle l'a déjà perdu plusieurs fois. Il lui en faut un plus petit. Pas vrai, Chaussette ?

Elles se remirent toutes les deux à la caresser,

et le chaton ronronna bientôt comme une loco-
motive.

Les filles laissèrent Chaussette se rendor-
mir et partirent à la chasse au collier. Comme
il ne pleuvait plus, elles sortirent dans le
jardin et finirent par le retrouver
sur la pelouse, trempé et couvert
de boue.

– Berk ! fit Violette en le prenant du bout des doigts. Il a dû
rester dehors tout l'après-midi.

Elle alla nettoyer le collier
dans l'évier et le mit à sécher
sur le radiateur de la cuisine. Ses
parents étaient en train de préparer les
légumes du dîner en écoutant la radio.

– Maman, il faudrait acheter un collier plus
petit à Chaussette. Elle n'arrête pas de perdre
le sien.

– D'accord, répondit sa mère en jetant les
épluchures dans le bac à compost. Je m'en
occupe la prochaine fois que je fais des courses.

Puis les filles remontèrent dans la chambre de Violette. Juste à ce moment, Marc mit la musique à fond dans la chambre voisine. Chaussette se réveilla en sursaut, les yeux écarquillés, les oreilles rabattues en arrière, prête à bondir.

Violette la prit dans ses bras avant qu'elle n'ait le temps de s'enfuir.

– Viens, on va t'éloigner de ce raffut, lui dit-elle. On va jouer en bas.

Elles descendirent au salon et s'amusèrent à faire courir Chaussette derrière une ficelle.

Alfred était dehors et les garçons jouaient à des jeux vidéo. Pour l'instant, le chaton ne risquait pas d'être dérangé.

Après le dîner, au moment de rentrer chez elle, Lili dit à Violette :

– Alors, tu vois ? Puisque je te dis que Chaussette est heureuse ! Elle adore vivre ici avec toi !

Elle caressa le chaton, lové dans les bras de sa maîtresse :

– À bientôt, petit amour !

– Salut, Lili, lui dit Violette, rassurée.

Mais alors qu'elle refermait la porte, le téléphone sonna et Alfred se mit à aboyer. Aussitôt, Chaussette sauta par terre et fila à l'étage. Violette soupira. Et voilà ! Elle aurait dû se douter que le calme ne durerait pas longtemps.

Le mardi, après l'école, Jade vint goûter chez Violette. C'était une journée froide mais ensoleillée, et les deux amies allèrent jouer dans le jardin avec Chaussette.

Violette trouva une balle en plastique et la fit rebondir dans l'allée. Chaussette, toute tremblante d'excitation, bondissait dessus comme sur une proie. Mais chaque fois, ses petites griffes glissaient sur le plastique et la balle lui échappait. Violette lui avait remis son collier, et le grelot tintait sans arrêt. Les

filles riaient en la regardant courir dans tous les sens.

Tout à coup, Alfred arriva au pas de charge en remuant la queue avec enthousiasme.

– C'est pas vrai, grogna Violette.

Elle avait oublié de refermer la porte de la cuisine. Déjà, le gros chien se précipitait sur la balle, impatient de participer. En un éclair, le chaton traversa la pelouse et escalada la clôture,

si vite qu'il faillit tomber. Puis il disparut chez les voisins. Alfred, la queue basse, paraissait tout déçu d'avoir perdu une camarade de jeu.

– Ah la la, Alfred, soupira Violette en s'accroupissant pour le caresser. Je sais que tu veux juste t'amuser, mais...

Il lui lécha la figure en remuant la queue.

– Maintenant, tu rentres, le temps qu'on retrouve Chaussette.

Elle le ramena dans la maison et referma la porte. Puis les deux filles appelèrent Chaussette en guettant sa frimousse au-dessus de la clôture.

– Allez, Chaussette ! l'implora Violette. C'est bon, Alfred est parti !

– On t'attend pour jouer ! ajouta Jade.

Mais elles eurent beau insister, rien n'y fit. Au bout d'un moment, de sombres nuages apparurent dans le ciel et des gouttes de pluie commencèrent à tomber.

Les filles rentrèrent se mettre à l'abri.

– Si on avançait un peu sur le magazine ?

proposa Jade. On pourrait faire des faux horoscopes de chatons et dessiner une image pour
chaque signe. Qu'est-ce que tu en penses ?

– Ça me va, approuva Violette.

Elle alla chercher des crayons et du papier,
en espérant qu'une activité l'aiderait à ne pas
trop penser à Chaussette.

– Bon, commençons par les Béliers, proposa Jade. Alors... on n'a qu'à mettre un truc
idiot, comme « Les chats Bélier : pour vous,
chat va bien ! » C'est assez drôle, non ?

Et elle nota son idée en gloussant. Mais
Violette avait l'impression d'avoir perdu tout
son sens de l'humour. Plus la nuit tombait,
plus elle s'agitait. Que faisait Chaussette ?

L'heure du dîner approchait et le chaton
n'était toujours pas revenu. Les filles l'appelèrent depuis la porte de la cuisine, armées
de lampes torches, mais aucun signe de
Chaussette.

Enfin, alors que Jade allait partir, Chaussette
se glissa par la chatière. Elle regarda tout
autour d'elle d'un air méfiant, comme pour
s'assurer que la voie était libre.

– Ah, te voilà ! s'exclama Violette, soulagée,
en la prenant dans ses bras. Tu m'as fait peur !

La fourrure du chaton était trempée et
Violette sentait son petit cœur qui battait à
toute vitesse. La pauvre ! Il fallait vraiment

qu'elle trouve la vie horrible à la maison pour préférer rester dehors par ce temps !

Jade s'approcha pour la caresser.

– Dis donc, Chaussette, on s'est fait du souci pour toi ! Quelle aventurière ! Pire que Gribouille !

Mais Violette savait qu'elle disait cela pour la rassurer. Gribouille était un chaton effronté qui n'avait peur de rien, tandis que Chaussette n'était pas du tout une aventurière. Et plus ça allait, plus elle devenait craintive ! Violette ne savait plus quoi inventer.

Chapitre 5

Les jours suivants, Violette fit de son mieux pour ménager un peu de calme à son chaton. Le mercredi soir, comme il pleuvait encore, ses frères s'entraînèrent au tir au but dans le couloir, au milieu des cris et des coups du ballon contre le radiateur – sans parler des protestations de M. Miller qui leur demandait d'arrêter.

Pour mettre Chaussette à l'écart de l'agitation, Violette la monta dans sa chambre, et la brossa jusqu'à ce que sa fourrure luise comme de la soie. Quand elle lui donnait à manger, Violette s'arrangeait pour qu'Alfred ne soit pas là, afin d'éviter que le gros chien ne plonge le museau dans son écuelle en même temps qu'elle.

– Je crois que ça s'arrange, annonça Violette à Jade et Chloé le vendredi à l'école. J'ai un peu l'impression d'être un ange gardien, à force de me précipiter dès que quelque chose pourrait l'effrayer, mais au moins ça marche ! Je suis sûre qu'elle est plus détendue.

– Tant mieux ! dit Chloé. C'est bien chez toi qu'on fait la réunion demain ? On va pouvoir la dorloter !

– J'ai hâte ! répondit Violette. Mon père part

avec mes frères et Alfred tout l'après-midi, on va pouvoir être tranquilles ! Et aujourd'hui, j'ai décidé de passer toute la soirée à jouer avec Chaussette !

Malheureusement, de retour chez elle, Violette découvrit que sa mère lui avait préparé un autre programme.

– Violette, c'est ton tour de nettoyer les cages des cochons d'Inde et du hamster, lui rappela-t-elle.

Violette grommela, mais elle n'avait pas le choix. Ses parents avaient des règles strictes sur les soins à apporter aux animaux. Elle fit un câlin à Chaussette et alla l'installer sur son pouf dans sa chambre.

– Dès que j'ai fini de nettoyer ces cages toutes cracra, je reviens jouer avec toi, lui promit-elle.

Violette alla prendre un sac poubelle et du papier journal dans la cuisine et nettoya les cages. Elle disposa de la sciure propre dans la cage de Cookie le hamster, et de la paille

fraîche dans celle de Flocon et Nuage les cochons d'Inde. Puis elle rinça les réservoirs d'eau, les remplit d'eau fraîche et versa des graines dans les mangeoires. Fini !

Elle jeta le sac dans la poubelle, se lava les mains et remonta dans sa chambre. Mais là, plus de Chaussette. La musique braillait de nouveau dans la chambre de Marc. C'était sûrement ce qui l'avait fait fuir. Comme d'habitude !

– Marc ! cria leur mère du rez-de-chaussée. Baisse un peu cette musique !

Mais il ne l'entendit pas, ou préféra l'ignorer. Violette dévala l'escalier et tomba sur Félix qui faisait du roller dans le couloir.

– Tu n'as pas vu Chaussette ? lui demanda-t-elle.

Il accomplit un demi-tour acrobatique au bout du couloir et s'arrêta.

– Si, j'ai failli lui rouler dessus il y a cinq minutes, répondit-il. Elle a déboulé de nulle part, j'ai juste eu le temps de lui crier de s'écarter !

– Tu lui as crié dessus ? répéta Violette, consternée.

Félix haussa les épaules.

– C'était ça ou lui rouler sur la queue. Je crois qu'elle a filé au salon.

En entrant dans la pièce, Violette trouva

Paul et ses copains plongés dans un match de foot bruyant sur une console de jeux.

– Tu as vu Chaussette ? demanda-t-elle à son frère.

– Allez, allez !!! hurla-t-il sans quitter sa partie des yeux.

Sur l'écran, le ballon percuta la barre transversale, et Paul poussa un grognement de déception.

– Pas de bol. Quoi ? Chaussette ? fit-il en se retournant vers sa sœur. Heu... oui. Elle est passée au moment où Joël a marqué, il y a trois minutes.

– Elle est partie par où ? demanda Violette.

Mais son frère était déjà retourné à son jeu.

– PENALTY ! rugit-il. Heu, bah, on a tous crié au moment du but et je crois que ça l'a effrayée. Elle est partie du côté de la cuisine.

Violette serra les dents.

– O.K., dit-elle.

Dans la cuisine, sa mère préparait le dîner. Elle leva la tête à son arrivée.

– Tu as fini de nettoyer les cages, ma puce ?

– Maman, tu as vu Chaussette ?

– Elle vient de sortir par la chatière. Tu peux mettre la table, s'il te plaît ? On est huit ce soir, avec Joël et Nathan.

Mais Violette ne l'écoutait plus. Elle venait de s'apercevoir que la porte du jardin était restée ouverte et qu'Alfred aboyait au milieu de la pelouse.

– Oh non, soupira-t-elle. Maman, tu as laissé sortir Alfred avec Chaussette ?

Sa mère fronça les sourcils.

– Attends, il faut que j'écoute ça, lui dit-elle en montant le volume de la radio.

– Pas grave, marmonna Violette.

Et elle sortit dans le jardin.

Alfred accourut aussitôt... mais aucun signe de Chaussette. Violette s'assit sur une marche et resta là, à caresser le chien tout en réfléchissant.

Elle imaginait Chaussette passant d'une pièce à l'autre à la recherche d'un coin calme, et obligée d'en partir à chaque fois. Et voilà qu'elle avait disparu. Pauvre chaton !

Violette alla enfermer Alfred dans la maison et se mit à appeler Chaussette.

– Chaussette ! Où es-tu ? Reviens !

Elle tendit l'oreille, guettant le grattement de ses griffes sur la clôture, mais en vain. Puis elle se souvint d'une chose que Mina lui avait racontée : un jour où Roméo était parti à l'aventure, elle avait réussi à le faire revenir en secouant une boîte de croquettes. Ça pouvait peut-être marcher avec Chaussette ? En plus, c'était l'heure du dîner et elle devait avoir faim.

Violette fila chercher la boîte à la cuisine et ressortit en la secouant comme des maracas.

– Chaussette ! Chaussette ! criait-elle.

Elle plissa les yeux pour scruter les recoins du jardin, mais la nuit tombait et il faisait déjà trop sombre pour y voir.

À cet instant, elle repéra le collier du chaton sur la pelouse. Elle le ramassa et le fourra dans sa poche. Sa mère avait promis d'en acheter un nouveau, mais elle avait dû oublier.

– Chaussette ! criait-elle désespérément.

Au bout d'un moment, sa mère l'appela pour le dîner. Mais Violette ne voulait pas rentrer avant d'avoir retrouvé son chaton.

– Ne t'inquiète pas, lui dit sa mère. Elle revient à chaque fois, non ? On la reverra quand elle aura faim.

– J'ai retrouvé ça dans le jardin, dit Violette en brandissant le collier. Elle l'a encore perdu !

Mme Miller la regarda d'un air désolé.

– Excuse-moi, chérie. Je voulais en acheter un autre, mais ça m'est sorti de la tête. Je m'en occupe demain matin, promis ! En attendant, viens manger. Je suis sûre que Chaussette ne va pas tarder.

– Notre chat aussi se sauve toujours, déclara Joël, le copain de Paul, qui venait d'entrer dans la cuisine. Une fois, il a disparu pendant deux jours. Mais il a fini par rentrer.

À l'idée de devoir attendre deux jours entiers le retour de son chaton, Violette se sentit encore plus déprimée. Chaussette n'arriverait jamais à se débrouiller seule aussi longtemps !

Après le repas, Violette et ses parents sortirent avec des torches, dans l'espoir de persuader Chaussette de revenir. Violette cria son nom jusqu'à en perdre la voix. Paul vint les aider, mais manque de chance, il laissa la porte ouverte en sortant et Alfred en profita pour le suivre. Il se mit à aboyer énergiquement, comme si tout cela n'était qu'un grand jeu. Violette fit la grimace. Il n'y avait aucune chance pour que Chaussette revienne dans ces conditions. Elle sentit les larmes lui monter aux yeux. Et si Chaussette s'était perdue ? Ou si elle avait décidé qu'elle en avait assez d'habiter là ?

Chapitre 6

Violette n'avait aucune envie d'aller se coucher. Elle ne pourrait jamais dormir en sachant que Chaussette était toute seule dehors dans le noir. Mais à neuf heures, ses parents la forcèrent à monter dans sa chambre.

– Tu verras, ma puce, elle sera rentrée demain matin, lui assura son père en venant lui dire bonne nuit.

Violette mit des heures à fermer les yeux. Et quand elle trouva enfin le sommeil, elle fit un rêve bizarre. Chaussette errait dans les rues au milieu de la foule et des voitures, en pleine tempête de neige, en poussant de petits miaulements terrifiés. Violette voulait l'aider, mais elle n'arrivait jamais à la rejoindre. Elle finit par se réveiller, le cœur battant.

Il était encore très tôt, mais elle avait besoin de vérifier tout de suite si Chaussette était rentrée. Elle se leva, dévala l'escalier et déboula dans la cuisine. Mais le panier était vide, et froid. Apparemment, Chaussette n'était pas rentrée de la nuit !

Violette fondit en larmes. Elle venait à peine de se réveiller, et c'était déjà le pire jour de sa vie ! Elle courut dans le jardin, pieds nus et en pyjama dans le froid glacial.

– Où es-tu, Chaussette ? gémit-elle. Reviens !

À part un merle effrayé qui s'envola d'un arbre, le jardin était désert. Violette resta plantée au milieu de la pelouse, en larmes, ne sachant que faire. Avait-elle perdu Chaussette pour toujours ?

Sa mère, qui l'avait entendue pleurer, descendit la consoler.

– C'est tout à fait normal pour un chat de passer la nuit dehors ! lui expliqua-t-elle. Encore un peu de patience, elle va bientôt revenir !

– Elle a pu se perdre ! objecta Violette. Notre numéro de téléphone est sur son collier. Maintenant, si quelqu'un la trouve, il ne pourra pas nous appeler ! Imagine qu'on ne la revoie jamais !

Sa mère la serra dans ses bras.

– Je m'en veux d'avoir oublié de lui racheter un collier, lui dit-elle doucement. Je suis
vraiment désolée. Mais ne voyons pas tout en
noir. Ça va s'arranger.

Violette aurait voulu en être aussi sûre.
Après le petit déjeuner, auquel elle toucha à
peine, elle s'habilla et parcourut la rue en appelant Chaussette. Lili l'aperçut par sa fenêtre
et vint l'aider, mais il n'y avait toujours aucune
trace de Chaussette.

– J'ai peur qu'il lui soit arrivé quelque chose
d'horrible ! gémit Violette. Elle a pu se faire
écraser par une voiture !

– Ne pense pas à ça, lui dit Lili en la serrant
contre elle. À mon avis, elle a bien trop peur
des voitures pour aller dans la rue. Elle est
peut-être enfermée dans une cabane ou dans
un garage, tout simplement !

Peu après, les deux filles durent rentrer déjeuner. Mais Violette n'avait vraiment pas faim.

– Tout ça, c'est de votre faute ! lança-t-elle

aux garçons pendant le repas. Si vous ne pas-
siez pas votre temps à écouter de la musique
à fond, à lui rouler dessus en rollers et à crier,
elle ne serait pas partie !

Paul se moqua d'elle :

– Et qu'est-ce qu'on devrait faire ? Marcher
sur la pointe des pieds pour ne pas effrayer ton
pauvre chaton ? C'est aussi chez nous, ici !

– Allons, Violette, ils n'y sont pour rien, intervint son père. Je sais que tu es inquiète, mais ça n'arrangera rien de s'en prendre aux autres !

Sa mère lui caressa les cheveux d'un geste apaisant.

– Quand Chaussette aura un peu grandi, lui dit-elle, je suis sûre qu'elle se laissera moins impressionner.

Elle posa un petit sac sur la table à côté de sa fille.

– Tiens, voilà un collier qui ira même au plus petit de tous les chatons. On le lui mettra dès qu'elle sera revenue.

– Si elle revient, murmura Violette, de nouveau au bord des larmes.

Le temps que les filles du club des chatons arrivent pour la réunion, Chaussette n'avait toujours pas reparu et Violette était désespérée.

– Et si quelqu'un l'avait enlevée ? dit-elle à ses amies avec agitation. Ou si elle était blessée quelque part, et qu'elle ne pouvait pas revenir ?

Les autres se mettaient à sa place, et se sentaient mal pour elle.

– Tu es allée voir tes voisins ? lui demanda Mina. Quand Roméo s'est sauvé, on est passés dans toutes les maisons de la rue. Mme Jackson a dit qu'elle l'avait vu, et c'est comme ça que j'ai su par où il était parti.

– On pourrait préparer des affichettes et les distribuer dans les boîtes aux lettres, proposa Lou. Et même en coller sur les lampadaires.

– Bonne idée, dit Violette. Ensuite, je demanderai à ma mère de passer chez les voisins avec moi.

Elle alluma l'ordinateur et rédigea une affichette :

PERDU ! *Chaussette, chaton tigré, âgé de quatre mois.*

Elle ajouta une photo de Chaussette et son numéro de téléphone et imprima les feuilles.

Après avoir demandé la permission de sortir, les filles se divisèrent en groupes pour glisser les affichettes dans les boîtes aux lettres de la rue. En chemin, elles appelèrent Chaussette et la cherchèrent partout. Mais on aurait dit que le chaton s'était volatilisé.

Les filles revinrent chez Violette un peu abattues. Elles firent l'appel des membres du club, comme chaque semaine, et notèrent les dernières nouvelles dans l'album. Mais elles étaient trop inquiètes pour avoir envie de rire ou de bavarder. Cela faisait maintenant vingt-quatre heures que Chaussette avait disparu.

Elles essayèrent de se changer les idées en travaillant sur leur magazine, mais personne n'arrivait à se concentrer. Presque à la fin de la réunion, quelqu'un frappa à la porte.

– Ça doit être ma mère, déclara Jade. Elle a dit qu'elle serait peut-être en avance. Elle devait passer prendre mon petit frère à une fête d'anniversaire et venir directement ici après.

Elle alla ouvrir avec Violette, mais ce n'était pas sa mère. C'était Mme Flynn, la vieille dame qui habitait trois maisons plus loin... avec Chaussette dans les bras !

Chapitre 7

Violette s'y attendait si peu qu'elle resta bouche bée. Puis elle éclata en sanglots. Mais cette fois, elle pleurait des larmes de joie !

– Oh, Chaussette ! balbutia-t-elle en la prenant dans ses bras. Vous l'avez retrouvée, Mme Flynn ! Merci, merci !

Alertés par le bruit, les parents de Violette

vinrent voir ce qui se passait, bientôt suivis de tout le club des chatons.

– Oh, ouf! fit la mère de Violette. Merci beaucoup, Mme Flynn. Entrez prendre une tasse de thé. Où l'avez-vous retrouvée?

Tout le monde s'entassa dans la cuisine, tandis que Mme Miller mettait la bouilloire à chauffer.

– Eh bien, ça fait quelques semaines qu'elle vient dans mon jardin, expliqua Mme Flynn en s'asseyant. On est très copines, toutes les deux. Elle me tient compagnie pendant que je jardine.

Elle sourit à Chaussette, qui se frottait contre le bras de Violette en ronronnant.

– Comme elle ne portait pas de collier, reprit la vieille dame, j'ai cru que c'était un chat errant. Alors j'ai commencé à lui donner à manger de temps en temps.

– Elle a un collier, rectifia Mme Miller d'un air un peu honteux en lui versant une tasse de thé. Mais comme il est trop grand, elle le perd tout le temps. On vient juste d'en racheter un. D'ailleurs, Violette, tu devrais lui mettre tout de suite !

Mme Flynn but une gorgée de thé.

– Donc, hier soir, ce petit chat – Chaussette, c'est bien ça ? – a sauté sur ma fenêtre en miaulant. Alors je l'ai laissée entrer, et elle a dormi toute la nuit sur mon canapé.

Elle se tourna vers Violette.

– Je suis vraiment désolée, ma petite. Si j'avais su qu'elle était à toi, je te l'aurais ramenée plus tôt. Mais je ne savais même pas que vous aviez un chat.

– Je ne l'ai que depuis quelques mois, dit Violette. Et ça ne fait pas très longtemps qu'elle peut sortir. C'est sans doute pour ça que vous ne l'aviez jamais vue.

Elle mit le nouveau collier (très joli) autour du cou de Chaussette et recommença à la caresser. Le chaton ronronna de plus belle.

Tout à coup, Violette comprit.

– Oh, mais je sais maintenant pourquoi elle ne mangeait plus beaucoup, reprit-elle. C'est parce qu'elle mangeait chez vous aussi !

– Oh, lala ! je n'aurais peut-être pas dû, dit Mme Flynn, gênée. Je dois avouer que ça me faisait plaisir qu'elle me rende visite. Je vis toute seule, vous comprenez. Mais je vous promets que je vais arrêter de la nourrir, maintenant que je sais qu'elle est à vous.

– Merci, dit Violette. Je suis tellement soulagée qu'elle n'ait rien !

– Moi aussi, s'exclama Lili en lui pressant la main.

Les filles dirent au revoir à Mme Flynn et montèrent dans la chambre de Violette avec le chaton. Violette se sentait épuisée, après toutes ces émotions.

– Pouh ! Chaussette, ne recommence plus

jamais ça ! dit-elle au chaton en faisant mine de la gronder.

Soudain, elle réalisa quelque chose d'horrible. Même si Mme Flynn arrêtait de la nourrir, il y avait toutes les chances pour que Chaussette continue à aller chez elle ! Bah, après tout, pourquoi pas ? C'était sûrement bien plus calme là-bas qu'ici.

Allongée sur son lit, Violette regardait Lou et Mina qui s'amusaient à remuer les doigts pour que Chaussette saute dessus. Elle n'avait plus qu'à persuader ses frères de chahuter moins afin de rendre la maison plus agréable pour le chaton.

Elle n'avait pas le choix. Sinon, Chaussette finirait par s'installer définitivement chez Mme Flynn... ou ailleurs.

Après le départ de ses amies, Violette réclama une réunion de famille... et tout de suite! Ses parents et ses frères la regardèrent d'un air étonné. Étant la plus jeune, Violette n'avait jamais fait ça. Mais la disparition de Chaussette l'avait décidée à agir.

– Voilà, commença-t-elle en caressant Chaussette, roulée en boule sur ses genoux, je pense que notre maison n'est pas un endroit très sympa pour un chaton. On n'arrête pas de l'effrayer en courant et en faisant du bruit. Ce n'est pas normal qu'elle soit obligée de se sauver parce qu'elle ne se sent pas bien ici.

– Mais que veux-tu qu'on y fasse? demanda Paul en levant les yeux au plafond.

– Pour commencer, Marc pourrait mettre sa musique moins fort. Et toi, tu pourrais faire un peu attention quand tu fais du roller. Ou quand tu es dans le jardin en même temps qu'elle. Et éviter de l'assommer avec le ballon en jouant au foot, par exemple!

– Je t'ai dit qu'on ne l'avait pas fait exprès !

– Je pense quand même que Violette a raison, déclara son père à la surprise générale. Vous êtes assez grands pour aller jouer au foot au parc ou au stade après l'école, au lieu de massacrer le jardin et d'envahir le couloir. Chaussette ou pas, l'autre jour, j'ai bien cru que le ballon allait défoncer la porte d'entrée.

– Et moi, je suis d'accord avec Violette au sujet de la musique, renchérit Mme Miller. Marc, je passe ma vie à te demander de baisser le volume. À partir de maintenant, tu n'as qu'à mettre un casque.

– Merci, dit Violette à ses parents. Il reste le problème d'Alfred, qui vient manger dans l'écuelle de Chaussette en même temps qu'elle et qui lui fait peur dans le jardin.

– On mettra son écuelle sur le plan de travail de la cuisine, dit sa mère. Elle n'aura qu'à sauter, et Alfred ne pourra plus l'atteindre.

Violette hocha la tête.

– Génial. Tout ce que je veux, c'est qu'elle

se sente bien, et qu'elle ait l'impression qu'on fait attention à elle.

— C'est une demande qui me paraît raisonnable, commenta son père. Qu'est-ce que vous en dites, les garçons ?

Ceux-ci acquiescèrent en grognant, l'air un peu penauds.

– Merci, tout le monde, dit Violette.

Elle se sentait déjà beaucoup mieux.

Chapitre 8

Le dimanche, chacun fit des efforts pour que la maison reste à peu près calme. Violette déplaça l'écuelle de Chaussette sur le plan de travail de la cuisine, et le chaton comprit vite comment sauter dessus pour se nourrir. Mme Miller instaura une nouvelle règle : tout le monde devait enlever ses chaussures dans la maison pour faire moins de bruit. Marc mit un casque pour écouter sa musique. L'après-midi, les garçons emmenèrent Alfred faire une longue promenade pour que Chaussette soit tranquille dans le jardin avec Violette. Elles passèrent un bon moment à s'amuser

toutes les deux avec la balle rebondissante, sans personne pour les embêter.

– C'est plus sympa comme ça, hein, Chaussette ? lui dit Violette.

Le chaton ronronna son approbation en se frottant contre ses chevilles.

Un peu plus tard, alors que Chaussette somnolait sur son lit, Violette et sa mère allèrent porter des fleurs chez Mme Flynn pour la remercier.

– Comme c'est gentil ! s'exclama la vieille dame, ravie. Entrez !

Le calme régnait dans sa maison. On n'entendait que le tic-tac de l'horloge et l'eau qui frémissait dans la bouilloire. Ce n'était pas difficile de comprendre pourquoi Chaussette aimait venir ! Violette se sentait un peu triste pour la vieille dame, qui n'avait personne pour lui tenir compagnie.

– Vous n'avez jamais eu envie d'avoir un chat, Mme Flynn ? lui demanda-t-elle soudain.

Celle-ci lui sourit.

– C'est drôle que tu me parles de ça, répondit-elle. Je me suis justement posé la question. J'apprécie beaucoup les visites de Chaussette. Ce serait peut-être une bonne idée d'avoir un chat à moi.

– Le refuge pour chats cherche toujours des familles d'accueil pour ses pensionnaires, l'informa la mère de Violette. Si vous décidez d'en prendre un, je serai ravie de vous y emmener en voiture.

– C'est très gentil à vous. Je vais y réfléchir, dit lentement la vieille dame.

Le matin du samedi suivant, Violette avait une mission spéciale à remplir avec sa mère. Mme Flynn avait finalement décidé qu'elle serait très heureuse d'avoir un chat, et elle leur avait demandé de l'aider à en choisir un au refuge !

Évidemment, Violette avait tout de suite accepté.

– Tu te rends compte, Chaussette ? annonça-t-elle à son chaton en lui gratouillant le menton. Tu vas peut-être avoir un copain chez Mme Flynn !

Sa mère éclata de rire.

– Oh, pour ça, il faut voir. En général, les chats n'aiment pas trop partager leur territoire. Je ne suis pas sûre que celui de Mme Flynn lui fasse un très bon accueil.

Elle haussa les épaules avant de conclure :

– Mais l'avantage, c'est que Chaussette passerait sans doute plus de temps ici.

– Ça, c'est vrai, approuva sa fille.

En entrant au refuge, Violette était tout excitée. Mme Flynn avait déjà reçu la visite d'une personne du centre, venue s'assurer que sa maison était adaptée pour recevoir un chat. Maintenant, c'était le moment le plus chouette : celui du choix !

Elles se retrouvèrent dans une grande salle très claire, dont tout un côté était occupé par des cages. À l'arrière de chaque cage, une

porte donnait sur l'extérieur. Certains chats dormaient, d'autres étaient sortis, d'autres encore dévisageaient les visiteurs avec curiosité. Il y en avait de toutes les couleurs : blancs, noirs, tigrés, gris ou roux. Chaque cage portait une carte indiquant le nom et l'âge de son occupant.

– Celui-ci s'appelle Hector, dit Violette en lisant l'étiquette de la première. Il a deux ans.

Dedans, un chat noir et blanc sautait sur les barreaux.

– Salut, Hector !

– Et elle, c'est Rosie, annonça la mère de Violette en découvrant une petite chatte grise à la queue touffue. Elle est ravissante.

Mme Flynn souriait à un petit chat noir aux grands yeux verts.

– Tabitha, lut-elle sur la carte. Elle a de vrais yeux de sorcière. Bonjour, Tabitha.

La jeune chatte miaula et vint se frotter la tête contre les barreaux, comme pour réclamer des caresses.

– Elle aime bien les gens, on dirait, observa Violette en s'approchant.

– Elle est adorable, confirma la dame du refuge. Bien éduquée et très affectueuse.

Mme Flynn glissa un doigt entre les barreaux et caressa la tête de Tabitha, qui ronronna bruyamment en fermant les yeux.

– Elle me plaît beaucoup, dit la vieille dame.
C'est tout à fait le genre de chat que je cherche.

C'est ainsi que ce matin-là Tabitha quitta le
refuge pour s'installer chez Mme Flynn, équi-
pée d'un collier vert, de quelques écuelles et
d'une brosse. La vieille dame semblait tout heureuse avec sa nouvelle compagne, et Violette ne
pouvait s'empêcher de sourire en les regardant.

– Je crois que Mme Flynn va se sentir moins
seule maintenant, dit Violette à ses amies
l'après-midi, pendant la réunion du club des
chatons.

Cette fois-ci, elles s'étaient retrouvées chez Jade, et mettaient la dernière touche à leur magazine dans le salon. Gribouille, le chaton tout fou de Jade, en profitait pour jouer avec leurs orteils.

– Je ne sais pas qui avait l'air la plus contente, entre Mme Flynn et Tabitha, conclut Violette.

– Je trouve ça génial, dit Jade. Tu devrais écrire un article là-dessus pour le magazine. J'adore les histoires qui finissent bien !

– Et pour Chaussette, demanda Lou, ça finit bien aussi ?

Violette hocha la tête :

– Mais oui ! Elle passe vraiment plus de temps à la maison, depuis qu'on fait attention à la séparer d'Alfred. Et maintenant que Marc ne met plus sa musique aussi fort, elle peut se réfugier dans ma chambre sans être dérangée.

Elle regarda ses amies en souriant.

– Chaussette et moi, on s'enferme et on se fait des gros câlins. Donc, ça finit bien pour nous deux !

TABLE DES MATIÈRES

Achevé d'imprimer en décembre 2011
sur les presses de la Nouvelle Imprimerie Laballery – 58500 Clamecy
Dépôt légal : décembre 2011 - N° éditeur : 10182901 - N° d'impression : 110178

Imprimé en France

La Nouvelle Imprimerie Laballery est titulaire de la marque Imprim'Vert®